L'édition originale de cet ouvrage
a paru sous le titre: *Cartooning*
Copyright © Aladdin Books Ltd 1991
28 Percy Street, London W1P 9FF
All rights reserved

Adaptation française de Philippe Chandelon
Copyright © Éditions Gamma, Tournai, 1992
D/1992/0195/37
ISBN 2-7130-1323-2
(édition originale: ISBN 0-7496-0544-8)

Exclusivité au Canada:
Les Éditions Héritage Inc., 300, rue Arran
Saint-Lambert (Québec) J4R 1K5
Dépôts légaux, 2e trimestre 1992
Bibliothèque nationale du Québec
Bibliothèque nationale du Canada
ISBN 2-7625-6948-6

Imprimé en Belgique

L'auteur, Anthony Hodge, est lui-même un artiste.
Il expose régulièrement ses œuvres et, depuis 20 ans,
enseigne l'art aux adultes et aux enfants.

DESSINS ANIMÉS

Anthony Hodge - Philippe Chandelon

Éditions Gamma - Éditions Héritage Inc.

SOMMAIRE

Introduction   2

Humour et caricatures   4

Bandes dessinées et animation 6

Éléments: tête   8

Éléments: sujets en mouvement   10

Éléments: points de vue   12

Dessins humoristiques   14

Je suppose que ça vous amuse 16

Caricature   18

Vos caricatures   20

Créer un superhéros   22

Créer une bande dessinée   24

Animation   26

Animer des images   28

Suggestions   30

Conseils pratiques   31

Index   32

✏ *Ce pictogramme introduit les conseils de l'artiste.*

INTRODUCTION

Cet ouvrage se veut instructif et distrayant à la fois. Si vous aimez voir le côté amusant des choses, vous allez pouvoir coucher sur papier certaines de vos idées. Et si vous avez toujours rêvé de grandes aventures, le moment est venu d'inventer des bandes dessinées où l'impossible devient réalité.

Vous allez découvrir les «cartoons» (caricatures, bandes dessinées, dessins animés et autres dessins humoristiques), ainsi que le matériel qu'ils nécessitent. Pas besoin d'être un grand artiste: quelques traits feront souvent l'affaire.

Origines

À l'origine, un carton était une esquisse réalisée pour préparer un travail plus fini: peinture, tapisserie ou mosaïque. Les cartons de Léonard de Vinci, par exemple, sont encore célèbres de nos jours. Aujourd'hui, les «cartoons» sont des dessins directs, efficaces et amusants! Les meilleurs d'entre eux énoncent des vérités que chacun connaît en son for intérieur mais n'ose s'avouer. Un «cartoon» (bande dessinée ou dessin animé) raconte une histoire. Ce livre vous invite à entrer dans l'univers du dessin d'animation et à saisir la trame des bandes dessinées humoristiques et autres afin que vous puissiez en créer à votre tour.

✏ *Ces quatre personnages me sont apparus au moment même où j'ai commencé à crayonner. Le nombre et la diversité des sujets qui attendent de jaillir de votre imagination sont illimités. En haut à droite, un dessinateur semble très satisfait de son travail. J'espère que vous êtes dans le même cas!*

HUMOUR ET CARICATURES

Les pages qui suivent vous présentent les différents types de dessins humoristiques et le matériel qu'ils nécessitent.

Dessin humoristique

Le dessin humoristique est un dessin... qui fait rire. Il nous amusera ou nous surprendra, à moins que la surprise ne soit réservée au personnage central: nous voyons le danger arriver, mais pas lui!

Certains dessins sont muets; d'autres nécessitent un texte pour être amusants. Si plus d'un personnage s'exprime, les dialogues seront écrits dans des bulles. Ces bulles, appelées également phylactères, peuvent être rondes, ovales, rectangulaires ou encore en étoile.

Feutres et crayons

Feutres et crayons sont les instruments de base du dessin humoristique. La ligne d'un crayon doux est agréable (en bas, à gauche). Vous pouvez repasser avec un feutre ou de l'encre sur une esquisse au crayon, que vous gommerez ensuite.

Il existe différentes épaisseurs de feutres. La ligne d'une plume fine est élégante (centre), alors que les traits d'un marqueur épais ou biseauté (à droite) donnent une impression de solidité.

Le dessin humoristique s'adapte à de nombreux types de papiers. Le papier-cartouche est bon marché. Le papier fin (pour machine à écrire par exemple) facilite les corrections.

4

Caricature

Une caricature est un portrait qui exagère les traits du sujet : taille du nez, forme du menton, par exemple. Pourtant, d'une façon ou d'une autre, on obtient une certaine ressemblance. En fait, si elle est habile, la caricature sera plus ressemblante qu'une photographie! Certaines personnes, malheureusement pour elles, sont nettement plus faciles à caricaturer que d'autres.

Ce type d'humour ne date pas d'hier. Cela fait des millénaires que l'on caricature les personnages en vue. Les yeux de l'artiste seront indulgents ou cruels, flatteurs ou sans complaisance. Pour apprécier son art, il faut aimer la plaisanterie.

Encre, fusain et conté

L'encre, le fusain et le conté sont des matériaux vivants et adaptés à toutes sortes de caricatures. On trouve des stylos avec ou sans cartouches de recharge ainsi que plusieurs tailles de becs. Les lignes tracées à l'encre (en bas, à gauche) sont spontanées et expressives.

Le fusain, avec ses lignes sombres, convient à un personnage théâtral (au centre). Ses couleurs sont rudes et vives; en l'étendant du doigt, cependant, vous obtiendrez des ombres veloutées.

Le conté produit des ombres brunes ou grises. Ses traits chauds conviennent parfaitement, par exemple, à l'«ours» barbu et chevelu représenté à droite.

BANDES DESSINÉES ET ANIMATION

Bandes dessinées

Une bande dessinée est une suite de dessins qui raconte une histoire. Des peintures rupestres à la tapisserie de Bayeux, de Mickey à Superman, le principe consiste à décrire une action à travers une série d'images. Passez vos propres albums en revue: comme vous le verrez, chaque dessinateur a son style.

Le lecteur d'une bande dessinée fait rarement attention aux techniques qu'utilise l'artiste pour passer du gros plan au plan éloigné ou pour marquer drame, tension et changement de rythme. On retrouve les mêmes types d'effets, produits par les mêmes techniques, dans les films et les dessins animés utilisant les techniques du cinéma.

Bandes dessinées en couleurs

La bande dessinée est d'ordinaire en couleurs. Il existe de nombreux matériaux à cet effet. Les crayons sont faciles à utiliser. Les tons passent du pâle au sombre selon la pression que l'on applique sur l'instrument. Et il suffit de superposer des couleurs différentes pour les mélanger. Essayez également l'aquarelle ou la gouache (au centre). L'aquarelle est diluée et transparente. La gouache est plus dense et opaque. Dans les deux cas, choisissez un papier épais pour éviter les plis.

Les feutres (droite) ont de nombreux usages. Épais et en forme de biseau, ils couvrent le papier uniformément; fins, ils permettent de tracer les contours.

Animation

L'animation donne vie aux images en créant l'illusion du mouvement. Lorsque nous regardons un dessin animé moderne, nous avons l'impression de suivre une action ininterrompue. Il est difficile de croire que nous avons en fait affaire à des milliers d'images, chacune d'elles légèrement différente de la précédente. Ces images défilent si rapidement sous nos yeux que nous ne voyons pas le moment où l'une remplace l'autre.

Nous examinerons dans ce livre les techniques de base du dessin animé. Vous-même pourrez en expérimenter quelques-unes. Si vous aimez la précision et le soin, vos résultats seront sûrement impressionnants.

Peinture sur acétate

Les dessins destinés à l'animation sont peints sur des feuilles d'acétate, un plastique transparent. Comme on le voit ci-dessous, recto et verso sont mis à contribution. L'image est dessinée sur le recto. On utilise à cet effet l'huile d'une plume spéciale appelée «plume à rétroprojecteur». Le coloriage (à la gouache ou à la peinture acrylique) se fait sur le verso. Inutile de soigner le travail: une fois le plastique retourné, les traits de pinceau seront invisibles. De petits blocs d'acétate bon marché sont en vente dans les magasins de matériel d'artiste. Faites-en l'essai: collé sur une fenêtre, et exposé à la lumière, un dessin sur acétate a belle allure.

ÉLÉMENTS : TÊTE

Les dessins de toutes sortes reposent sur quelques idées maîtresses. Voyons d'abord comment représenter la tête.

Les visages sont présents partout pour qui sait ouvrir les yeux : dans les arbres, dans les nuages, dans les vêtements qui pendent à la porte pendant la nuit. L'imagination : voilà le secret.

De vraies têtes d'œuf

La tête voit souvent le jour sous forme de ballon ou d'œuf. Les éléments de base d'un visage sont : deux points pour marquer les yeux, un « L » pour représenter le nez et une ligne pour dessiner la bouche. La combinaison de ces éléments peut cependant suggérer toutes sortes de personnages (voir les visages ci-dessous, à gauche).

Commencez votre carrière de dessinateur par des variations sur ce thème. Répétez ensuite l'expérience avec différentes formes. Les traits devront refléter la forme de la tête.

Position des traits

Des yeux très écartés semblent confiants ; plus rapprochés (en bas, à droite), ils deviennent sots ou timides. Les traits placés à la base du crâne expriment l'intelligence ; au sommet, l'auto-satisfaction.

Formes et personnalité

La forme de la tête trahit la personnalité du sujet. Une tête en forme de poire semble triste, un visage carré est froid. Les courbes traduisent la mollesse, une forme d'étoile est synonyme d'énergie.

✏ Je n'avais pas conçu à l'avance le personnage de droite : j'ai ajouté les détails à mesure que j'avançais dans mon travail, comme pour maquiller une actrice.

Le visage étape par étape

Essayez de créer vos propres personnages de bande dessinée. Donnez à la tête sa forme de base et ajoutez-y progressivement traits, cheveux et vêtements. Redessinez ensuite le sujet en modifiant son expression.

✏ Les expressions déforment la bouche, l'ensemble des traits, les contours du visage, les cheveux. Reproduisez certaines d'entre elles devant un miroir. Sur une caricature, elles seront plus prononcées.

ÉLÉMENTS : SUJETS EN MOUVEMENT

Décrivez l'action aussi simplement et clairement que possible. Si votre sujet est en mouvement, commencez par tracer une forme rudimentaire : ce sera la base de votre dessin.

Toute silhouette, humaine ou animale, est structurée par son squelette. D'où l'intérêt d'utiliser des bâtonnets pour expérimenter positions et mouvements. Appliquez cette technique à une série de bonshommes avant de vous lancer dans des dessins plus évolués. Il suffira par la suite d'entourer les traits par les contours adéquats.

✏ *L'action peut souvent se résumer à un simple trait. Exercez votre imagination : tracez une ligne au hasard et voyez ce que vous pouvez en tirer. À droite, des mouvements linéaires se transforment en un personnage de bande dessinée. Remarquez la mise en valeur du mouvement par l'addition de virgules de vitesse et de petits détails tels que la pipe et le chapeau qui sautent.*

✏ *Remplissez plusieurs pages de bonshommes. Faites-les courir, sauter ou culbuter. Lorsque vous serez satisfait du résultat, commencez à les épaissir en transformant les bâtonnets en boudins (voir ci-dessous).*

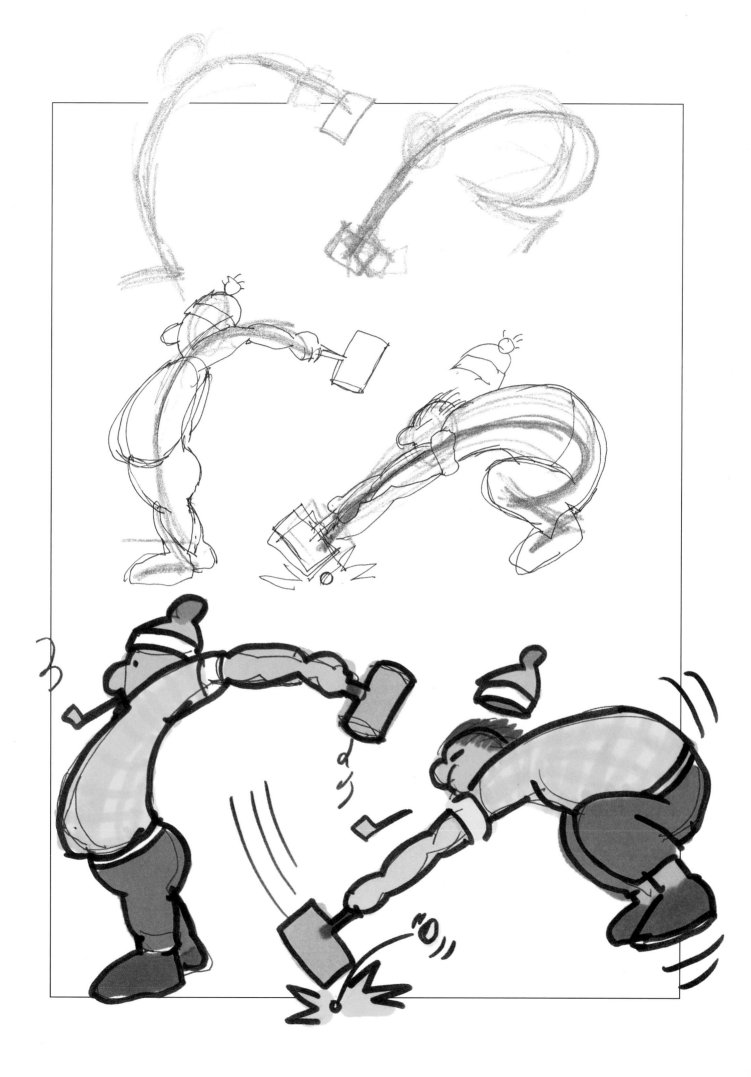

ÉLÉMENTS : POINTS DE VUE

Il est clair que nous devons tous nous trouver quelque part. Où vous trouvez-vous à l'instant même ? À chaque lecteur sa réponse... Le dessinateur situe l'action où bon lui semble : au fond de la mer ou à l'intérieur d'une chaussure. Un dessin doit parfois son succès à l'endroit où se tiennent les personnages plus qu'à ce qu'ils font ou disent.

Effets de perspective

Les décors de vos dessins seront généra-lement simples. Pourtant, comme dans la réalité, les sujets devront être d'autant plus grands qu'ils sont proches du lec-teur, et d'autant plus petits qu'ils s'en éloignent. En fait, ce phénomène de « perspective » sera encore plus marqué sur vos dessins que dans la réalité. Voyez la fillette sur la voie ferrée (en bas, à gauche) : le train, qui est éloigné, semble plus petit qu'elle.

Vu d'en haut ou vu d'en bas ?

Comme on le voit sur la page de droite, la perspective modifie l'aspect du sujet selon l'angle de vue. Le même chevalier a l'air très différent selon qu'on le regarde de face, d'en bas ou d'en haut. Certaines parties de son corps se font énormes ou minuscules selon qu'elles s'éloignent ou se rapprochent du lecteur. Vous aurez besoin de pratique pour obtenir un bon résultat. Pourquoi ne pas travailler à par-tir de bâtonnets et de boudins, comme à la page précédente ?

✏ *Divers angles accentueront l'impact théâtral de vos dessins. La vue de face est la moins spectaculaire. Vu d'en bas (idée discutable en l'occurrence), le che-valier a des pieds et des poings énormes. Vus d'en haut, son casque et son épée semblent s'élancer vers nous.*

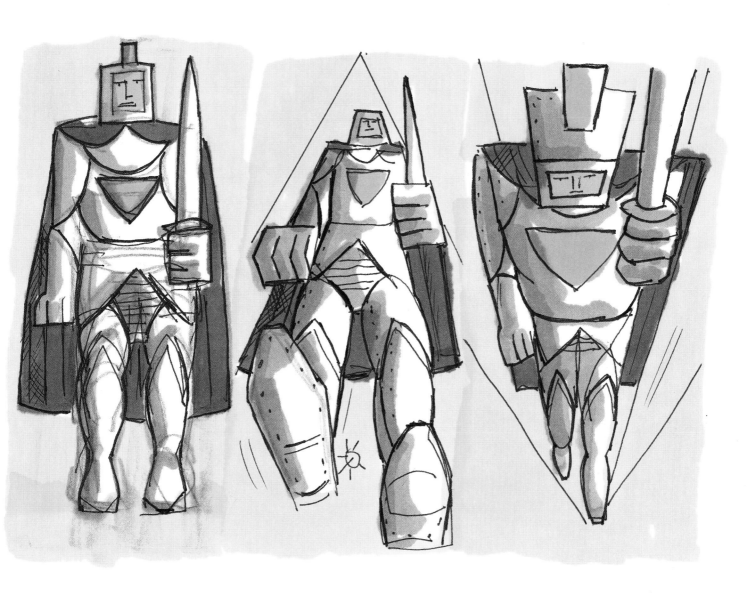

Minuscule ou énorme?

C'est en fonction de l'arrière-plan que le lecteur comprendra, décriptera, «lira» le dessin. En haut, à gauche, la même fillette se fait plus grande ou plus petite selon le décor. Jouez sur les échelles: c'est amusant, et vous pourrez mettre de nombreuses techniques à l'épreuve. Essayez de créer un personnage et de le placer dans différents environnements. Certaines situations seront surréalistes!

Recréer la perspective

La fillette sur la voie ferrée est un exemple de perspective «linéaire». Les rails, bien que parallèles, semblent converger vers un point de l'horizon appelé point de fuite. Toutes les lignes parallèles obéissent à cette règle. En crayonnant des lignes qui se dirigent vers un point de fuite (voir les dessins du chevalier ci-dessus), il vous sera plus facile de recréer la perspective.

La technique du «chevauchement» permet elle aussi de mettre la perspective en évidence. En bas, à droite, la fillette cache quelques maisons: ces dernières sont donc à l'arrière-plan. La voiture, qui cache une partie du trottoir, apparaît quant à elle au premier plan.

DESSINS HUMORISTIQUES

Votre dessin doit faire rire. Que trouvez-*vous* amusant? Rien ne vous sera plus agréable que de voir votre entourage rire d'une de vos trouvailles. Cette page porte sur les gags les plus élémentaires, ceux qui se passent de mots et de textes. Nous allons voir comment vous-même pourriez en imaginer.

Jeux de mots visuels

De nombreux dessins sans texte reposent sur un jeu de mots visuel. Une même forme peut correspondre à deux choses différentes tout comme, dans un jeu de mots verbal, un même mot peut avoir deux significations. On voit au sommet de la page de droite un exemple de ce type de gags.

Pour progresser : le griffonnage

Développez par le griffonnage votre aptitude à trouver des jeux de mots visuels. Dessinez des formes simples: rectangles, boucles, zigzags (en rouge ci-dessous). Vous-même et un ami pourriez également jeter quelques traits au hasard avant d'échanger vos feuilles. Regardez les lignes: qu'évoquent-elles pour vous? Faites pivoter le papier, examinez-le sous tous les angles. Vos traits donneront naissance à toutes sortes de dessins. Simple question d'imagination!

Variations sur un zigzag

Voici quelques idées pour des jeux de mots visuels à partir d'une ligne en zigzag. Pas d'acharnement excessif: contentez-vous de griffonner et d'apprécier le résultat. Faites de même avec d'autres formes, celles de gauche par exemple.

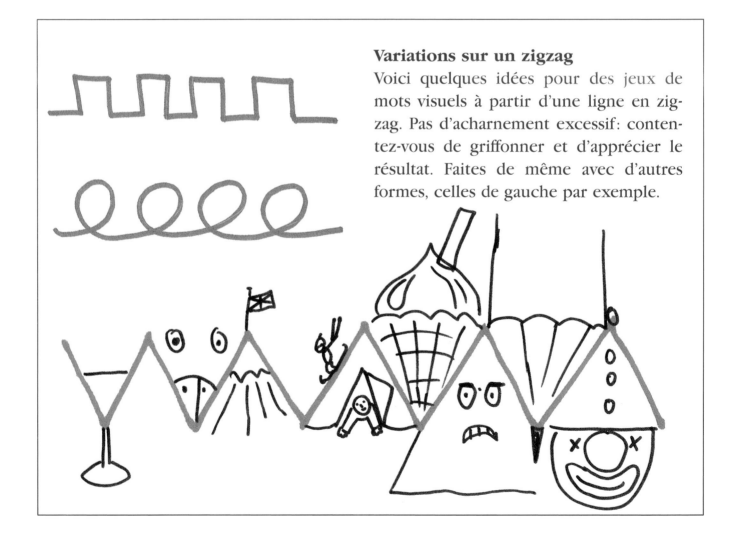

Double usage

Un autre type de gags sans texte repose sur un objet ayant deux usages. Le bandeau est commun aux deux images ci-dessous; dans la deuxième, cependant, il a une fonction inattendue. Quels autres objets courants pourraient avoir plus d'un usage? Laissez votre imagination courir sur des objets tels que parapluies, landaus, bombes aérosol et cannes.

☞ *Le jeu de mots visuel ci-contre résulte du griffonnage de la page précédente. L'humour, dans de nombreux dessins, repose sur l'anticipation: quelque chose va se produire, mais le personnage concerné ne le sait pas... encore!*

Faire passer le message

Le gag ci-dessous est centré sur le bandeau: on a colorié ce dernier en noir pour le rendre évident. Tous les détails du premier dessin (fusils, expressions des personnages) font craindre le pire. Les mêmes détails réapparaissent sur la deuxième image, mais modifiés: on souligne ainsi le changement d'atmosphère.

JE SUPPOSE QUE ÇA VOUS AMUSE

D'aucuns pensent que les dessins sans texte sont les meilleurs. Les mots, pourtant, qu'ils se présentent sous forme de bulles, de légendes ou de symboles, offrent tout un éventail de possibilités. Certains ont l'imagination plus vive que d'autres. Jouez avec les mots: les gags vous viendront plus facilement à l'esprit.

Le jeu de la chute

La plupart du temps, c'est dans la légende que l'on trouvera la chute du gag. Vous pourriez vous exercer en adoptant une chute simple telle que «Je suppose que ça vous amuse». L'exercice consiste à illustrer cette chute d'autant de manières que possible. Deux personnes au moins sont impliquées, et l'une d'entre elles n'est pas amusée du tout par le comportement de l'autre. Mais que se passe-t-il exactement?

Répétez l'exercice en variant les chutes: «Ne te retourne pas maintenant, mais...», «Vous aviez pourtant dit qu'il n'y aurait pas d'effet secondaire», ou même «Nous ne pouvons pas continuer à nous rencontrer ainsi». Ébauchez quelques idées et développez l'une ou l'autre.

Caractères

Dans un dessin, les mots eux-mêmes ne sont qu'une partie du message. La forme dans laquelle vous écrivez et les lettres utilisées jouent également un rôle.

Le texte apparaît d'ordinaire dans une bulle ronde, mais un encadré aux lignes droites peut suggérer des mots brutaux. Les nuages vous révèlent les pensées d'un personnage et les mots chuchotés semblent entourés d'un rayonnement.

Onomatopées

Les bruits violents se traduisent par de grandes lettres de couleur. L'effet est encore renforcé par le dessin de ces lettres, de même que la forme dans laquelle elles se trouvent. Une étoile signifie un impact ou une explosion. Des lettres qui se chevauchent créent l'illusion du relief et suggèrent mouvement et vitesse.

Dans tous les cas, les mots devront être lisibles. Écrivez en lettres capitales.

Perdu dans la jungle ou l'océan?

Des scénarios tels qu'un séjour à l'hôpital, en prison ou un accident de voiture sont aujourd'hui classiques. Pourquoi? De telles situations sont dangereuses, embarrassantes ou inattendues. Bref, nous n'aimerions pas les connaître! Pourtant, elles nous amusent...

Le gag réside souvent dans la réaction de gens ordinaires face à des événements extraordinaires. Un monstre emmène sa victime... laquelle se demande si elle a bien fermé la porte du jardin! La vie de tous les jours aussi nous donne l'occasion de rire. Notez vos idées dans un carnet: vous les reprendrez plus tard.

Naufragé? En panne sur la lune?

Ci-dessous figurent deux exemples de situations typiques auxquelles sont confrontés les personnages de dessin humoristique. Inversez le principe du jeu de la chute: quels textes pourraient accompagner ces deux dessins? Envisagez toutes les interprétations possibles.

17

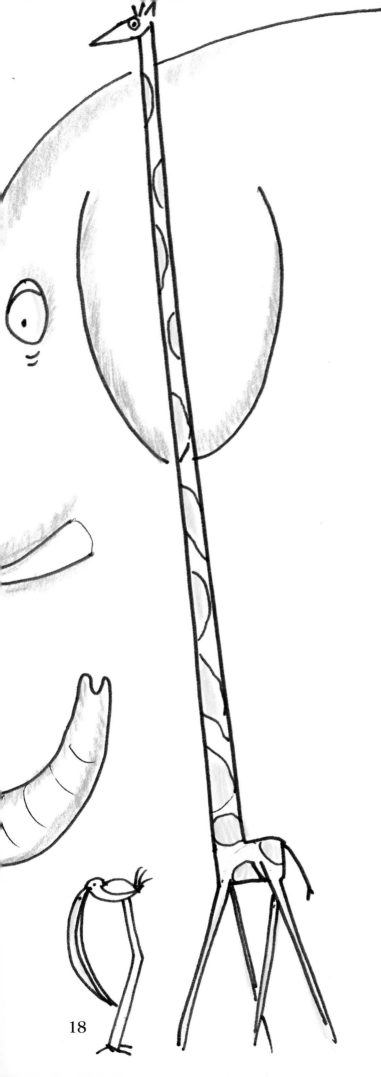

CARICATURE

Sans doute avez-vous un surnom. Si pas vous, votre professeur. Les surnoms sont un peu comme la sténographie : nous les utilisons (pas toujours gentiment) pour résumer les gens. Si le surnom demeure, c'est généralement parce qu'il est révélateur de l'apparence ou de la personnalité de son porteur.

Les caricatures sont des surnoms visuels. Elles aussi se concentrent sur quelques caractéristiques clés en les accentuant. Comme tous les dessins présentés dans ce livre, elles simplifient et exagèrent la réalité.

Caricatures animales

Certains caricaturistes vous conseilleront de voir votre modèle sous la forme d'un animal. En dessinant des animaux, nous avons tendance à accentuer les traits les plus évidents. Un grizzli n'est qu'une touffe de poils hirsutes ; un rhinocéros est un char, avec ses pattes trapues et sa corne géante. Un singe est grand et maigre, sa démarche est disloquée, ses pattes et sa queue sont de caoutchouc. Faites appel à votre imagination ou procurez-vous des photographies. Commencez par un dessin réaliste ; exagérez-en ensuite les traits principaux pour obtenir une caricature de l'animal.

✏ *On sait surtout d'un éléphant qu'il est grand. J'ai fait le mien si énorme qu'il ne tient pas dans la page ! Mes indices permettent cependant de l'identifier. La première chose que l'on remarque chez la girafe est la longueur de son cou. Les échassiers ont de longues pattes et un bec arrondi pour attraper leur nourriture sur le lit des rivières. Ce sont donc ces éléments que j'ai choisi d'exagérer.*

Observez votre victime

Les caricatures, qu'elles soient d'êtres humains ou d'animaux, reposent sur le même principe. Que vous choisissiez votre victime dans votre entourage ou sur des photographies, il est important de bien connaître son visage. Étudiez-le et portez attention aux traits (yeux, menton, cheveux...) les plus évidents pour les faire ressortir encore plus.

Ne vous limitez pas à la tête

À vous de choisir les caractéristiques à accentuer. Deux dessinateurs produiront des caricatures différentes de la même personne. Et n'oubliez pas que vous pouvez également caricaturer le corps. La taille de la poitrine ou de l'estomac, la longueur des bras et des jambes, la tenue négligée ou droite : autant d'éléments qui vous aideront dans votre travail.

Qu'est-ce qu'un visage ?

En caricature, le tout est de résumer et d'exagérer. Le premier dessin met l'accent sur les cheveux crépus et le sourire effronté du garçon. Le deuxième (en haut, à droite) retient surtout les lunettes, le nez pointu, la bouche maussade. La fille studieuse est affligée d'une chevelure plus désordonnée que dans la réalité, d'un nez retroussé et d'un regard fixe. Le jeune homme (en bas, à droite) semble plus hautain encore.

VOS CARICATURES

Vous savez maintenant comment faire des caricatures. À vous de jouer! Choisissez d'abord votre sujet. Il est bon de porter votre choix sur une personne que vous connaissez bien et que vous pouvez observer jour après jour. Mais vous pourriez essayer de caricaturer une personnalité célèbre et que vous admirez, ou même un individu que vous trouvez foncièrement antipathique!

C'est bien lui!

Avant de commencer à dessiner, prenez le temps de réfléchir. Interrogez-vous sur les attitudes et les habitudes les plus typiques de votre sujet. Pour restituer l'essence de sa personnalité, vous n'aurez pas nécessairement à dessiner son visage, ni même une grande partie de son corps. Grand-père passe le plus clair de son temps dans un fauteuil à lire le journal? Dessinez donc le journal, deux mains qui le tiennent ouvert et le sommet du crâne entouré par le fauteuil. Ajoutez la fumée de la pipe et les vieilles pantoufles rouges: personne ne s'y trompera!

Choisir le bon instrument

Choisissez des matériaux qui conviennent à votre sujet. Le crayon, la plume, le fusain, le conté ont chacun un «toucher» très différent. Le fusain (en bas, à gauche) a un aspect riche et doux. La plume est spontanée. La caricature de droite, grâce à un lavis à l'encre, crée des ombres et un regard misérable, maladif.

Les vêtements aident toujours à identifier le sujet. Le chapeau et le manteau caractérisent tellement certaines personnes qu'une vue de dos est suffisante. Certains aiment se cacher derrière les accessoires. Voyez le portrait au fusain à gauche sur la page ci-contre.

✏ *Caricaturer un personnage célèbre tel que John Wayne (ci-dessous) est une expérience amusante. Pour me familiariser avec le sujet, je l'ai d'abord dessiné d'après une photographie. J'ai remarqué un menton carré, des sourcils relevés. Ayant vu ses films, je connaissais son habitude de n'articuler que d'un côté.*

CRÉER UN SUPERHÉROS

Une bande dessinée est une suite de dessins qui raconte une histoire: des aventures d'écoliers espiègles aux exploits fantastiques de superhéros. Les pages qui suivent vous disent comment créer votre propre bande dessinée, la première étape étant d'en inventer les personnages.

Quels sont les facteurs communs à Superman, à l'Incroyable Hulk et aux Tortues Ninja? La plupart des superhéros sont une somme de clichés. Il vous suffira de les étudier pour obtenir la recette de vos propres personnages.

Le facteur X

Bien que certains superhéros viennent de planètes lointaines, la plupart sont d'origine terrestre. Ce sont des êtres ordinaires qui ont acquis un don, souvent à la suite d'un événement extraordinaire. Ledit événement est parfois lié à des émissions radioactives, mais pas toujours: Popeye tire sa force d'une simple boîte d'épinards.

Un superhéros a son territoire, un endroit qu'il se charge tout particulièrement de surveiller. Il affectionne les villes, ainsi que, bien sûr, les confins de l'univers.

Missions et superpouvoirs

Les superhéros (le vôtre aussi) ont une cause à défendre: combattre le mal (ci-dessus, à gauche) ou rétablir la justice dans le monde. Ils sont aidés en cela par un don spécial. Pensez aux superpouvoirs dont vous-même voudriez disposer!

Un superpouvoir est une force physi-que, une vue, une ouïe exceptionnelles. Ou quelque chose de nouveau: possibilité de voir à travers les objets ou de changer de forme. Un superhéros associé à un animal acquiert les pouvoirs de ce dernier. La fille-hibou verra donc dans l'obscurité. D'autres justiciers sont eux-mêmes des animaux.

Scénario

Pour élaborer votre superhéros, vous pourriez réfléchir à son habillement, à ses faiblesses, à ses goûts, à ses aversions, à ses complices et à ses amis. Mais la meilleure manière de procéder est de le lancer dans une aventure et d'observer ses réactions !

Comment construire une bonne histoire ? Les scénarios de bande dessinée contiennent des épisodes clés. Un crime est commis, un mystère plane ; bref, un méchant est à l'œuvre. Au dernier moment cependant, le héros est alerté et décide d'intervenir.

Mais les problèmes s'accumulent ! Des amis sont faits prisonniers et blessés... C'est alors qu'un moment d'inspiration vient fort à propos, et le vent tourne. Victoire ! On fête le héros avant de le voir rentrer chez lui. Suivez ce fil directeur, et votre superstar est prête à s'élancer !

✎ *Mon superhéros*, Cartoonman, *est du genre flegmatique : vous le voyez étudier son script sans se soucier de la bataille qui fait rage autour de lui. Pour connaître les périls qui l'attendent, lisez l'encadré ci-dessus.*

La première aventure de Cartoonman *Rocketwoman* traverse la galaxie à bord de son vaisseau spatial lorsque le moteur a des ratés. Après un atterrissage forcé sur une planète inconnue, elle est attaquée par d'ignobles créatures. *Cartoonman* est alerté du danger par ses capteurs ultra-sensibles. Il bondit vers la planète en question et maîtrise rapidement la situation. Ayant ramené *Rocketwoman* à bon port, il est fêté en héros et rentre à sa base.

CRÉER UNE BANDE DESSINÉE

Maintenant que vous avez inventé votre superhéros et écrit votre scénario, voyez comment illustrer l'action. L'intérêt des meilleures bandes dessinées réside dans leur scénario, mais également dans leur qualité visuelle. Variez la taille et la forme des images, ou *cadres*, modifiez l'échelle et la perspective: tout cela augmentera l'impact de votre récit.

Une histoire sur une seule page

Veillez à la mise en page. Préparez pour cela quelques *maquettes*. N'illustrez que les points essentiels: le reste sera laissé à l'imagination du lecteur. Des cadres de différentes tailles mettront en valeur les moments clés de l'action et vous aideront à communiquer les informations qui sont nécessaires.

Pensez à la couleur. Les personnages et les lieux doivent être de couleurs différentes: le lecteur les reconnaîtra ainsi au premier coup d'œil. Utilisez des tons vifs au premier plan, et des tons plus doux à l'arrière-plan.

Une fois satisfait de votre maquette, remplissez les cadres. Vous pourriez commencer votre travail au crayon pour terminer à l'encre de couleur.

✏ *La première aventure de Cartoonman est illustrée sur la page de droite. Comme vous le verrez, j'ai utilisé les bulles pour vous donner quelques conseils de mise en page. Pourriez-vous imaginer les mots que les personnages auraient réellement dits?*

Mise en page

Voici trois exemples de maquettes. Essayez de ne voir en votre page qu'un seul dessin fait de plusieurs éléments. Vous y parviendrez plus facilement en limitant le nombre de couleurs.

Les cadres ne sont pas toujours rectangulaires. Pour certaines images, d'autres formes sont plus appropriées. Une diagonale dirige l'œil vers le cadre suivant; les ovales et les cercles animent la page. Testez vos solutions, tracez des objets ronds pour multiplier cercles et courbes.

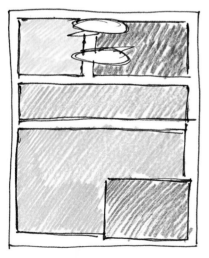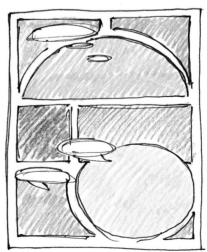

LE TEXTE AU SOMMET DE L'IMAGE SITUE LA SCÈNE...

LES PENSÉES APPARAISSENT DANS DES NUAGES.

LES SILHOUETTES MARQUENT LA DISTANCE ET ENRICHISSENT L'IMAGE.

UN FLASH INDIQUE UNE EXPLOSION. IL PEUT CHEVAUCHER LE CADRE.

L'ABSENCE DE CADRE MET LA SCÈNE EN VALEUR ET REND LA PAGE PLUS VIVANTE.

CHUCHOTEMENT   CHUCHOTEMENT

UNE NOUVELLE SCÈNE COMMENCE SUR UNE NOUVELLE BANDE...

POUR INDIQUER LA VITESSE, LE HÉROS PEUT BONDIR D'UN CADRE À L'AUTRE.

À L'AIDE!

VARIEZ LA TAILLE DES CADRES EN N'INCLUANT PARFOIS QU'UNE PARTIE DU SUJET.

RÉDUIRE UNE IMAGE PEUT ÉGALEMENT ANIMER LE DIALOGUE.

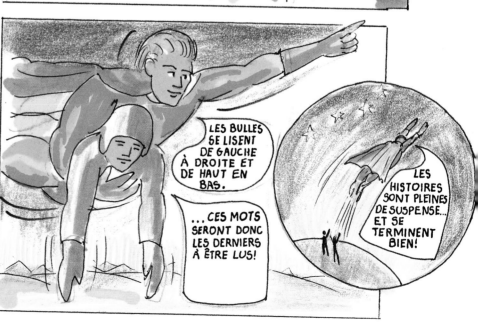

LES BULLES SE LISENT DE GAUCHE À DROITE ET DE HAUT EN BAS.

...CES MOTS SERONT DONC LES DERNIERS À ÊTRE LUS!

LES HISTOIRES SONT PLEINES DE SUSPENSE... ET SE TERMINENT BIEN!

ANIMATION

L'animation, c'est-à-dire l'art de donner vie aux images, ne suppose pas nécessairement de grandes connaissances techniques : les exercices pratiques ici présentés sont simples et efficaces.

Deux pages pour un dessin animé

La forme d'animation la plus simple est décrite ci-dessous. Vous n'aurez besoin que d'un crayon et d'une longue bande de papier, large de huit centimètres environ. Le papier doit être transparent : choisissez-le fin, mais pas trop fragile. Pliez la bande en deux (marquez bien le pli !) et ouvrez le « livret » obtenu.

Avant et après

Pensez à une action ou à un événement qui implique une position « avant » et une position « après ». Dessinez la première étape de votre idée sur la deuxième page du livret. Dans l'exemple ci-dessous, il s'agit de l'individu à la chevelure normale. Rabattez ensuite la première page sur l'image. Vous devriez être à même de distinguer le personnage à travers le papier.

Pour que le livret soit réussi, des éléments de l'image doivent rester identiques sur la page rabattue. Décalquez-les ; vous dessinerez ensuite les parties différentes qui sembleront animées d'un mouvement.

Essais

Une fois que vous aurez dessiné votre deuxième image, enroulez-la autour d'un crayon. Maintenez le papier comme illustré ci-dessous. Faites ensuite courir votre crayon vers la gauche et vers la droite pour faire apparaître alternativement vos images « avant » et « après ».

« Avant » et « Après »

Ci-dessous, deux autres paires de dessins « avant » et « après ». Autres exemples : avant et après des vacances, une visite chez le coiffeur, une cure d'amaigrissement, et bien d'autres encore.

Cahiers d'animation

Passons à un autre exercice. Vous aurez besoin d'un cahier fait de pages blanches de papier fin. Pensez à une action et fixez le nombre d'étapes nécessaires à son illustration. L'exemple ci-contre en compte neuf.

Dessinez d'abord les étapes clés (feuilles 1, 5 et 9 dans notre exemple). Vous commencerez par la feuille 9 (dessin final) et en décalquerez les parties immuables. Remplissez ensuite les feuillets intermédiaires, en travaillant toujours à partir du dernier.

✏ *Lorsque vous aurez achevé toutes les étapes, faites défiler les pages de votre cahier et voyez votre image prendre vie ! Plus votre dessin sera précis, plus le résultat sera spectaculaire.*

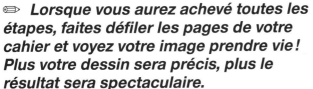

ANIMER DES IMAGES

Ralenti à l'extrême, tout mouvement apparaît comme une suite de changements infimes. Nous allons voir comment décomposer une action complexe. Vous vous exercerez ainsi à regarder avec les yeux d'un animateur, en ralentissant le mouvement, en le considérant strictement étape par étape.

Faites appel à votre imagination

Voyez l'image ci-dessous. Imaginez une action similaire qui pourrait mettre en vedette votre superhéros. Comme pour le cahier d'animation, concentrez-vous d'abord sur les moments clés de l'action. Ce sont les *cadres clés*: début et fin du mouvement, ainsi que deux ou trois

étapes pour le jalonner. Une fois satisfait de vos cadres clés, esquissez les stades intermédiaires (au crayon sur l'illustration ci-dessous). Du papier-calque vous permettra de reproduire les parties de votre dessin qui restent inchangées, et même celles qui semblent identiques mais ont en fait pris une nouvelle position.

Cadres clés et cadres intermédiaires

Dans l'industrie du dessin animé, l'illustration est un travail d'équipe. Pour les longs métrages, les artistes appliquent le système des cadres clés et des cadres intermédiaires. Seuls les cadres clés sont dessinés par un animateur: c'est un artiste «intermédiaire» qui se charge de réaliser les autres.

✎ *Un exercice peu aisé pour vous et moi, peut-être, mais tout est possible dans le monde de l'animation! Les quatre cadres clés apparaissent en couleurs; les cadres intermédiaires complètent le mouvement.*

La boîte lumineuse

Les professionnels dessinent sur un plastique transparent, l'acétate. Grâce à une boîte lumineuse (ci-dessous), ils décalquent d'un cadre à l'autre les détails inchangés. Ils placent sur la boîte le dessin à décalquer et le couvrent d'une deuxième feuille. Il leur suffit alors d'allumer l'appareil pour voir clairement apparaître la première feuille et en recopier certaines parties.

L'animation

Savez-vous combien de dessins sont nécessaires pour un long métrage? Des centaines? Des milliers, peut-être? En fait, il en faut presque un million. Autrefois, tout ce travail se faisait à la main. De nos jours, on a également recours à l'informatique.

Le dessin, une fois terminé, est photographié séparément pour devenir un cadre de pellicule. On compte 24 de ces cadres par seconde de film. Lors de la projection, ils défilent si vite que nous voyons une action continue.

✏ *Un animateur utilise une boîte lumineuse pour voir plus clairement les contours du dessin.*

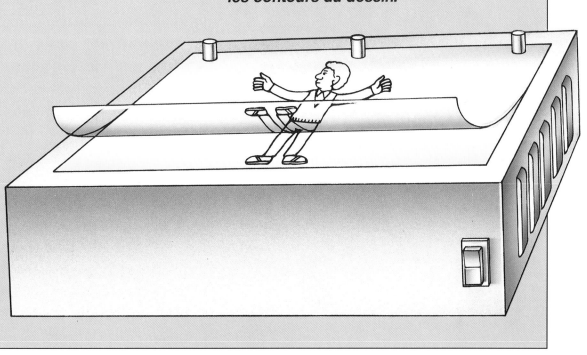

SUGGESTIONS

Grâce aux techniques exposées dans ce livre, vous pourrez faire des cadeaux à votre famille et à vos amis.

Faites-vous auteur de bande dessinée

Visez haut: publiez votre propre bande dessinée. Vos meilleurs gags, vos plus grands héros mis en images! Prévoyez plusieurs épisodes: vos amis vous harcèleront pour avoir le numéro suivant! Pourquoi d'ailleurs ne pas leur demander de joindre leurs efforts aux vôtres? Vous pourriez vous répartir la tâche: chacun dessinerait une partie des images. Quant au scénario, vous le construiriez numéro après numéro.

Cartes postales

Vos dessins feront souvent de magnifiques cartes postales. Vos meilleurs gags à deux images (la première sur la couverture, la chute à l'intérieur) seront certainement irrésistibles.

Vous pouvez également illustrer votre carte d'une caricature, mais attention à ne pas froisser les susceptibilités! À gauche, une carte d'anniversaire semble quelque peu irriter son destinataire...

Les mini-dessins animés décrits à la page 26 feront eux aussi d'excellentes cartes. Vous pourriez même les accompagner d'un crayon et d'instructions. Leur première page doit être de papier fin, afin de pouvoir s'enrouler autour du crayon. Pour les autres cartes postales, utilisez plutôt du papier épais ou du carton: de cette manière, elles tiendront debout. Ou alors, découpez vos dessins pour les coller sur du carton.

CONSEILS PRATIQUES

Protection de l'équipement

Pensez à protéger votre équipement. Papier, crayons et blocs: tout devra se trouver au même endroit. Cela vous aidera d'un point de vue pratique et vous donnera un sentiment de continuité dans votre travail. Protégez votre papier en le déposant à plat dans un tiroir: vous éviterez qu'il ne se froisse ou ne se souille.

Correction des erreurs

Les professionnels eux-mêmes font des erreurs. Une simple gomme corrigera les traits au crayon. Dans le cas d'un médium plus permanent, tel que le feutre, calquez plutôt les parties réussies du dessin. Utilisez pour cela du papier fin (pour machine à écrire, par exemple): vous verrez facilement par transparence. Si malgré tout vous utilisez un autre type de papier, tenez-le contre la fenêtre: vous distinguerez mieux le dessin.

Le calque est un travail méticuleux et lent, peu compatible avec un style spontané. Le magasin de matériel d'artiste vous fournira de petits pots de peinture blanche et opaque grâce à laquelle vous effacerez toute erreur. De nouvelles lignes pourront ainsi être tracées.

Vous pourriez également découper et coller un morceau de papier vierge pour recouvrir les erreurs. Les lignes tracées sur l'acétate peuvent être facilement épongées avec de l'eau.

Les crayons-feutres

Les feutres sont d'excellents instruments. Ils colorient de grandes surfaces de papier avec rapidité et homogénéité. Lorsque vous en avez fini avec une couleur, pensez à remettre le capuchon pour éviter que l'encre ne sèche. N'oubliez pas que le feutre transperce le papier fin: ce dernier ne devra donc pas être posé sur n'importe quelle surface!

Privilégiez les couleurs douces: les tons vifs seront plutôt réservés aux détails. Dans une certaine mesure, vous pourrez mélanger les couleurs en superposant les encres. Si en revanche vous ne voulez pas de mélanges salissants, évitez de juxtaposer deux couleurs sans laisser à la première le temps de sécher.

Fixatif

Si vous travaillez au fusain ou au conté, protégez votre travail en pulvérisant du fixatif à sa surface. Vous pourrez vous procurer ce produit dans les magasins de matériel d'artiste. Placez le dessin fini dans un endroit bien aéré, et pulvérisez consciencieusement en protégeant bien vos yeux.

Le jeu du dictionnaire

Les idées de dessin, et notamment de dessin humoristique, ne viennent pas avec la même facilité à tous les esprits. Stimulez donc votre imagination par le jeu du dictionnaire. Prenez un dictionnaire, tirez deux mots au hasard, et trouvez une manière de les réunir dans une image. Si rien ne vous vient à l'esprit, essayez un autre mot. Mais ne trichez pas trop! Soyez bon joueur!

INDEX

A
acétate 7, 29
action 10, 26
animation 6, 7, 26-29
animaux 18
après 26
aquarelle 6
avant 26

B
bandes dessinées 6, 22-24, 30
bâtonnets 10, 12
boîte lumineuse 29
bulles 4, 16

C
cadres 24
cadres clés 28
cahiers d'animation 27
caractères 16
caricatures 4, 5, 18-20
cartes postales 30
chute 16, 17
conté 5, 20
couleur 6, 24
crayons 4, 6, 20
crayons-feutres 4, 6, 31

D
décors 12, 13

E
échelle 13, 24
encre 5, 20
erreurs 31

F
fixatif 31
fusain 5, 20

G
gags 12, 14-16
gouaches 6
griffonnage 14

I
intermédiaires 28

J
jeu du dictionnaire 31
jeux de mots visuels 14, 15

L
légende 16

M
matériaux 4-6, 20, 31
mise en page 24

P
papier 4
papier-cartouche 4
personnages 8, 9, 22

personnalité 8, 9
personnalité 8, 9
perspective 12, 13, 24
perspective linéaire 13
plume à rétroprojecteur 7
plumes 5, 20
points de vue 12

S
scénario 23, 24
squelette 10
superhéros 22-24

T
têtes 8, 9
têtes d'œuf 8

V
vêtements 21

✏ *Sa mission accomplie, notre héros s'élance dans l'Espace. Cette scène a été esquissée au crayon et achevée au feutre.*

PRINTED IN BELGIUM BY

INTERNATIONAL BOOK PRODUCTION